Ce livre appartient à

RETROUVEZ

titeuf

DANS LA BIBLIOTHÈQUE ROSE

c'est pô une vie...

même pô mal...

c'est pô croyab'

c'est pô malin...

pourquoi moi ?

les filles, c'est nul...

ZEP

les filles, c'est nul...

Adaptation : Shirley Anguerrand

HACHETTE

Hachette Livre, 43, quai de Grenelle, 75015 Paris.

1

Le coup qu'on adore faire avec Manu, c'est celui du paillasson piégé.

D'abord, il faut trouver une crotte de chien assez grosse. Une crotte de gros chien fait très bien l'affaire. Cette fois-là, on en a trouvé une parfaite.

On l'a enveloppée dans un journal et on est allé la poser sur le paillasson du voisin. Et puis j'ai mis le feu au journal, pendant que Manu appuyait sur la sonnette. Après, on s'est cachés pour regarder le voisin ouvrir sa porte et piétiner le journal (avec la crotte dedans, parce que c'est ça qui est drôle) pour éteindre le feu.

On a attendu un petit moment et puis le moment est devenu de plus en plus long et les flammes du journal de plus en plus hautes. Tellement hautes qu'on a eu peur. Et comme le voisin ne sortait toujours pas, il a bien fallu que quelqu'un d'autre se précipite pour éteindre le feu. Et ça a été moi.

Le piège a super bien marché. Si j'avais pas été criblé de crotte de la tête aux pieds, j'aurais peut-être trouvé ça hyper drôle.

J'étais à peine en train de me dire que – vu l'état du palier autour de moi – c'était le moment de partir en courant, quand la porte s'est ouverte...

Le voisin a pas trouvé drôle les mouchetures de crotte sur sa porte et celles incrustées dans les poils de son paillasson.

Et il y avait au moins un point sur lequel j'étais complètement de son avis...

2

LE SENS DE L'HUMOUR

Hugo, il a une façon rien qu'à lui de faire signe quand il a un truc drôle à montrer.

Il a un air vicieux, un petit sourire pas fiable du tout, et il fait des clins d'yeux super malsains. Bref : on peut pas lui résister.

Je me suis approché en lui demandant ce qu'il avait à me montrer. Il n'a rien répondu. Il s'est seulement retourné pour faire ce truc bizarre :

J'ai trouvé ça hyper marrant. Mais quand je lui ai demandé qui était caché sous son pull pour faire les bras, il m'a traité d'insultes injurieuses.

Il m'a dit que j'avais encore rien compris, qu'il n'y avait personne sous son pull et que c'était lui tout seul qui faisait juste le tour avec ses bras.

J'avais très bien compris et je trouvais ça super drôle, même sans personne caché sous son pull. Alors j'ai fait la première chose à faire quand on connaît un truc rigolo.

Nadia a pris son petit air fatigué mais elle a bien voulu m'écouter quand même.

Et, comme Hugo me l'avait montré, j'ai fait le tour avec mes bras...

Nadia n'a pas tout de suite compris en quoi c'était drôle.

Alors je lui ai expliqué qu'avec Hugo ça avait super bien marché, mais qu'avec elle ça marchait moins bien parce qu'elle était trop large.

J'ai à peine eu le temps de l'entendre crier « QUOI ?! » dans mon oreille et je me suis pris une mégabaffe...

3

Quand je suis parti à l'école avec le tout nouveau cartable que Manu m'avait offert, je me doutais pas une seconde à quel point c'était un cadeau empoisonné. Mais j'ai pas mis longtemps à m'en apercevoir.

J'étais même pô arrivé à la grille de l'école que je suis tombé sur la bande de nazes débiles qui font rien d'autre de la journée que nous attendre devant l'école.

Évidemment, la première chose qu'ils ont repérée, c'est mon nouveau sac de classe...

Ils m'ont attrapé par la poignée de mon cartable en disant que c'était drôlement pratique, les chiures portables. Par mépris, j'ai pas relevé l'insulte. Ensuite, ils m'ont soulevé et balancé par terre en disant que ma poignée servait peut-être à jouer au gnome-ball...

Quand ils m'ont reposé par terre, j'avais tellement le tournis que j'ai cru que j'allais leur vomir dessus. J'ai pensé que ça n'arrangerait rien à la situation, alors j'ai respiré fort par la bouche pour faire passer le mal au ventre en attendant que ces deux pôv' types terminent de jouer avec ma poignée.

J'ai pas pu leur casser la figure, mais au moins ces deux microbes de cafard m'avaient ouvert les yeux sur le danger des cartables à poignée.

En plus, j'ai même pô eu besoin de sortir mon argent de poche pour le cadeau d'anniversaire de Jean-Claude.

4

Pour jouer au foot, il faut autant d'énergie que pour faire la guerre atomique. C'est méga pénible comme sport. Il faut être solide parce qu'on se prend souvent le ballon à pleine vitesse dans la tronche. Moi, ça m'arrive hyper souvent. Après, je dois continuer à jouer avec un œil bleu et gonflé. Et comme j'y vois mal, je finis toujours par percuter un autre joueur de plein fouet. En général, je m'explose contre Manu qui y voit encore moins bien que moi. Bref, le foot c'est un truc de durs. Mais ça serait quand même plus facile si il n'y avait pas les papas.

Les papas restent au bord du terrain pendant tout le match pour faire leurs commentaires sous prétexte de nous soutenir. Mais nous, ça nous soutient pô du tout. Au contraire, ça énerve et après on fait n'importe quoi, et c'est comme ça qu'on se prend le ballon dans la figure...

Mon papa, il est encore pire que les autres. Il me crie ce que je dois faire et, surtout, il pousse des hurlements de joie quand j'approche du but avec le ballon alors que j'ai même pas encore tiré. Du coup, je rate le but, je trébuche et je m'écrase sur la pelouse. C'est là que papa commence à discuter avec les autres papas...

Et comme les autres papas ne sont pas d'accord pour laisser tricher le mien, ça finit à chaque match de la même manière...

Parfois, je me demande si ça serait pô mieux de faire jouer directement nos papas à notre place sur le terrain...

5

J'ai toujours été hyper impressionné par les tatouages. En général, les types qui s'en font faire sont super balèzes et, souvent, ils ont des grosses motos. La classe, quoi. Moi, j'aimerais bien avoir un tatouage de tueur sur le biceps avec des têtes de mort et des tas d'autres trucs qui font rock'n roll. D'après Manu, il paraît qu'on a méga mal pendant le tatouage. Je lui ai dit que j'avais même pô peur et que je pouvais serrer les dents. Manu a répondu que j'avais besoin de serrer rien du tout parce qu'il pouvait me tatouer avec un marqueur. Alors il m'a fait un dessin sur le bras...

J'ai crié sur Manu parce que j'avais l'air d'un naze à cause de lui. Il m'a répondu que ses fleurs étaient très jolies et que c'est sa mémé qui le lui avait dit. En plus, il avait utilisé un marqueur où c'était écrit *indélébile* dessus. J'avais beau frotter : rien ne partait. Il fallait à tout prix que j'efface cette horreur...

On a d'abord essayé des savons, mais on voyait encore mégabien la fleur ridicule de fille sur mon biceps. Alors on a utilisé les produits que Manu avait trouvés dans les placards interdits de la cuisine. Ça a fait partir la fleur en une minute, mais pas que la fleur...

On a dû aller chez le docteur qui m'a mis d'autres produits pour me réparer le bras. Et j'ai eu mal toute la journée, encore plus que si j'avais fait un vrai tatouage. Le pire, c'est que j'ai dû aller à l'école avec un énorme bandage au bras.

6

Déjà, rien que l'école, c'est pas normal. Et dans l'école, il y a tout un tas de trucs hyper bizarres. Je sais même pô comment les autres font pour ne pas remarquer tous ces phénomènes, parce que, moi, ça me saute à la figure tellement il se passe de choses pas normales. En commençant par la maîtresse : comment fait-elle pour voir dans son dos ?

Personne n'a des pouvoirs comme ça ! C'est un truc de l'espace et ça prouve que la maîtresse est sûrement un extraterrestre : ce qui expliquerait, entre autres, son physique hyper bizarre. L'autre élément louche, c'est que la maîtresse nous empêche toujours de regarder par la fenêtre pendant les cours. Probablement pour qu'on ne remarque pas que le concierge communique avec les aliens (je l'ai vu faire : il chuchote tout seul en balayant).

Je suis maintenant presque sûr que le concierge est un androïde et la maîtresse son chef alien. Régulièrement, surtout les jours de contrôle de maths, j'ai observé que le chef alien en question nous distribue des listes de chiffres incompréhensibles : de toute évidence, des messages codés...

Je pense avoir fait mon devoir de Terrien en éliminant ces messages interplanétaires.

Mais la lutte contre l'invasion sera longue et difficile car je me bats seul, n'ayant personne à qui confier mon terrible secret. Et même si je parlais à quelqu'un, qui voudrait me croire ?!

7

Quand on joue aux types de l'espace, c'est toujours Vomito qui prend le cosmo-casque.

Je lui ai demandé d'expliquer cette injustice. Il a simplement répondu : « Parce que c'est MON poisson rouge qui me l'a prêté. » Bref, il m'énervait déjà alors qu'on n'avait même pas encore commencé à jouer. Et ça n'a fait qu'empirer. Vomito était nul en communication avec la base, même avec le cosmo-casque et même nul en TOUT. Le pire, c'est quand je lui ai demandé de me passer les pilules de survie.

J'allais lui infliger le châtiment destiné aux traîtres, quand un événement imprévu m'a interrompu...

La réaction du mutant a été immédiate : il s'est lancé à notre poursuite en nous traitant de « petits malpolis » dans son langage cosmo-galactique. J'ai dû agir avec rapidité et sang-froid, comme tout bon commandant, et j'ai donc ordonné le repli immédiat vers le vaisseau.

Le sous-fifre casqué Vomito me suivait comme il pouvait : péniblement. Mais au moment où on parvenait à semer l'ennemi, Vomito a ralenti sa course...

Heureusement, le mutant a abandonné la poursuite et j'ai constaté une fois de plus que j'avais réussi à sauver mon équipe sans trop de dégâts...

Bref, le plus à plaindre dans cette histoire, c'était sans aucun doute le poisson rouge...

8

Papa et maman ont décidé de me soigner les mauvaises notes. Ils m'ont emmené voir un psy parce qu'il paraît que c'est le docteur qui soigne les maladies un peu spéciales comme les punitions ou les mauvaises notes. Le psy était assez cool. Malheureusement, il avait que des jouets nuls dans son bureau.

Alors, comme il avait l'air de vouloir m'écouter, je lui ai donné des trucs pour les remplacer.

Il a passé l'heure à bavarder avec moi, en me posant plein de questions sur ce que j'aimais faire. Il m'a laissé dessiner un petit moment et il avait l'air de s'intéresser drôlement à ce que je faisais.

Bref, c'était un type vraiment sympa qui trouvait tout ce que je faisais « très bien » ou « intéressant ».

Après, il a parlé avec les parents. Il leur a expliqué que

j'avais une personnalité imaginative et rien de plus. Ça a eu l'air de les soulager sur le moment, mais quand, le lendemain en rentrant de l'école, ma « personnalité imaginative » a ramené un nouveau zéro, ils ont piqué une crise épouvantable... Ils ont un problème, c'est sûr...

9

Papa et maman ont décidé de me faire apprendre un instrument de musique. À l'académie, il y avait plein d'instruments et je savais pô trop avec quoi j'avais envie de jouer. Le piano, c'était plein de notes, et quand j'ai demandé au monsieur de me montrer autre chose, il m'a proposé une flûte à bec comme si j'étais une fille. Et puis, en me retournant, j'ai vu l'affiche sur le mur avec le rocker et sa guitare électrique et j'ai compris tout de suite que c'était fait pour moi. Alors, papa m'a inscrit au cours de guitare et j'ai commencé le mercredi suivant...

C'était pas vraiment comme ça que j'imaginais les stars du rock et les guitares qu'on nous a données, elles étaient pô du tout électriques. J'avais vu Jimi Hendrix à la télé. Il avait un bandeau sur la tête et il faisait des trucs super avec sa guitare. J'ai voulu faire pareil mais le naze assis à côté de moi s'est énervé.

J'ai répondu au naze que, grâce à mes postillons, sa guitare pourrite serait moins sèche. Pour se venger, ce débile m'a accusé de même pas savoir tenir ma guitare comme il faut.

Je lui ai dit que c'était qu'un pôv' type parce que, ma guitare, je la tenais comme Jimi Hendrix. Il m'a demandé si Jimi Hendrix était tennisman...

Bref, le premier cour de guitare s'est pô tout à fait passé comme papa l'avait prévu en m'inscrivant. Mais si j'avais eu une vraie guitare électrique avec un vrai prof de rock, tout ça ne serait jamais arrivé...

10

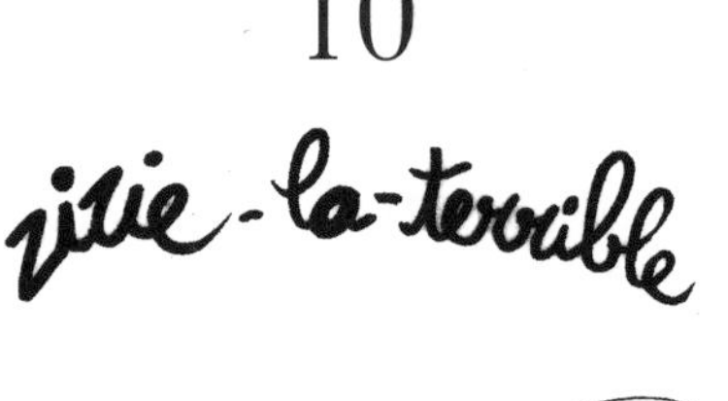

Quand Zizie a décidé de ne pas manger, il faut avoir suivi l'entraînement militaire de Rambo pour la convaincre d'ouvrir la bouche.

À chaque repas, les parents essaient des tactiques nouvelles, mais Zizie est une coriace.

Papa se met dans des positions ridicules et ça ne marche pô du tout. Après plein d'échecs, il risque l'attaque par surprise. Ça consiste à chatouiller Zizie pour la faire rire, et quand elle ouvre la bouche, hop ! on lui enfile vite la cuiller chargée d'épinards. Mais on n'est jamais sûr du résultat...

Pendant que papa part se laver la figure, maman prend le relais avec des techniques encore plus nulles que celles de papa...

Heureusement, maman ne va jamais au bout de sa menace.

Papa revient un peu plus tard, la figure toute propre prête à se faire cribler de nouveau, et c'est reparti pour un tour. Et puis tout à coup, sans que personne ne sache pourquoi, on tombe par hasard sur le truc qui marche...

Sacrée Zizie ! Il suffit de vraiment pas grand-chose pour se la mettre dans la poche !

C'est incroyable comme un tout petit truc même pô rigolo peut faire d'effet sur les bébés !

En revanche, avec les parents c'est plus compliqué...

11

le scrabble de la mort

Quand je suis chez pépé et mémé, c'est impossible d'y couper : je suis obligé de me taper la partie de Scrabble la plus longue de l'histoire.

Pépé et mémé sont aussi lents l'un que l'autre.

Ils réfléchissent des heures pour trouver finalement que des mots minables. Et quand je trouve un chouette mot...

... ils vérifient à chaque fois dans le dictionnaire pour me dire que ça n'existe pas. Ce qui rallonge encore plus le calvaire, c'est que, quand mémé joue, pépé essaie de l'aider, et inversement, mémé tente de trouver des mots pour pépé.

Moi, je passe mon temps à prier pour que quelque chose se passe, même la fin du monde, pourvu que le jeu s'arrête.

Il est arrivé une fois que le Bon Dieu m'entende et qu'Il m'envoie un magnifique petit miracle !

J'ai cru mourir de joie de l'intérieur. Mais après avoir crié par la fenêtre sur les types qui jouaient au foot dehors, pépé s'est calmé. Il s'est rassis à la table en disant : « C'est pas grave, on va recommencer une partie, comme ça Titeuf pourra mieux se concentrer. »

Depuis ce jour, je hais le Scrabble ET le foot.

12

J'essayais d'apprendre à nager à Zizie. Tout à coup, elle a fait une drôle de tête crispée.

J'ai pensé qu'elle commençait peut-être à avoir froid ou qu'elle avait peur de l'eau.

J'ai même cru qu'elle avait bu la tasse sans que je m'en

aperçoive. Mais je n'ai pas tardé à découvrir la vraie raison...

J'ai essayé de taper dans l'eau pour créer un courant qui entraînerait la crotte de Zizie au loin, mais ça résistait obstinément.

Tout à coup, une voix de fille a fait « Hallo... » dans ma direction, et mon premier réflexe a été d'attraper le plus vite possible la crotte pour la cacher dans ma main. J'ai réalisé trop tard que c'était pô une super idée...

J'ai profité d'un moment d'inattention de la fille pour balancer la crotte loin derrière moi. Je me suis rapidement rincé la main pour serrer celle de Petra. J'étais en train de lui dire que Petra, comme prénom, c'était joli, quand j'ai senti un index tapoter mon épaule...

Bien sûr, après que j'ai réglé les comptes avec le gros monsieur pas content, Petra est partie en courant. Il valait mieux, d'ailleurs, parce que je n'aurais pas pu rester une minute de plus devant elle...

13

papa est un lâcheur

Marco est arrivé à l'école tout fier en tenant au bout d'une laisse une espèce de monstre tueur genre race de chien. C'est son frère qui l'avait acheté. Il l'avait appelé Carnax. Le chien se laissait gentiment caresser par Marco, mais on apercevait de temps en temps ses dents, et on pouvait imaginer le massacre quand il décidait d'attaquer. Bref, son chien assurait un max et Marco en était hyper fier. Normal.

Tout le monde en avait que pour Marco, alors François a commencé à raconter sa vie pour attirer les regards sur lui.

Évidemment, ça a pas loupé. Tout le monde y est allé de sa petite histoire extraordinaire. Même Manu, à qui d'habitude il arrive jamais rien de classe, avait un truc à dire.

Et moi, ça commençait à me chauffer les oreilles de les voir frimer comme ça.

Manu était pô content que je lui casse son effet. Il s'est un peu emporté : « C'est nul ! C'est nul ! 'Pis toi ? T'as rien comme animal, d'abord ! » Mais quand je lui ai dit que, mon père, il avait un streptocoque et que c'était hyper rare, ils ont tous été super impressionnés.

Je savourais bien ma victoire, et en rentrant j'ai foncé voir papa dans sa chambre pour lui demander de me prêter son streptocoque pour le montrer aux copains. Mais il a été très peu coopératif. J'aurais jamais cru que papa puisse être un traître.

14

Krok lunett, il s'appelle pas comme ça, mais moi j'aime bien lui donner ce nom pour me foutre de lui. Et j'aime bien me payer sa tête parce qu'il m'énerve.

Et il m'énerve parce que Nadia l'a mis en premier sur sa liste des dix plus beaux garçons de l'école. Ce jour-là, je me moquais encore de Krok lunett et il a fini par s'exciter en disant que Nadia, il s'en foutait parce qu'elle était vieille. C'était la meilleure nouvelle de ma vie. J'ai couru la répéter à Nadia, mais elle a pas trouvé que c'était une si bonne nouvelle que ça...

Jean-Claude avait tout vu et j'ai très vite compris qu'il jubilait en me regardant. Je lui ai demandé s'il voulait ma photo et j'ai ajouté qu'il avait de nouveau ses chances avec Nadia parce qu'elle cherchait un type aussi moche que Krok lunett mais plus vieux...

Je commençais à avoir la figure pô mal détruite. J'avais des gros bleus plein la tête et très mal. Et comme j'y voyais pô bien à cause de mes paupières toutes gonflées, j'ai pas eu le temps de voir avec qui Krok lunett revenait vers moi jusqu'à ce qu'il soit tout près de mon visage explosé...

Quand on demande à un adulte si les filles valent vraiment la peine qu'on souffre autant pour elles, il vous répond que, souvent, l'amour, ça brise le cœur...

Table

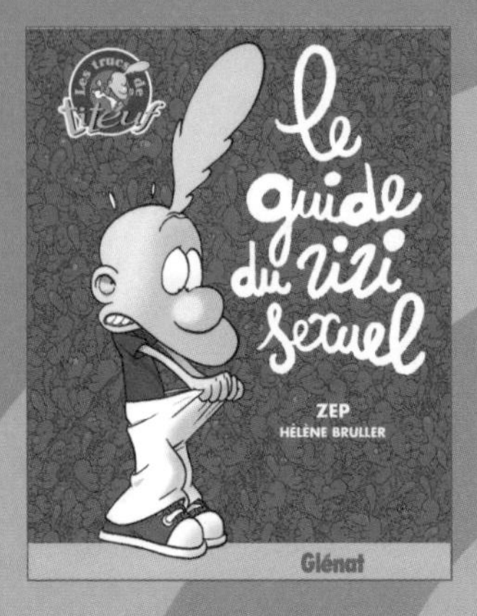

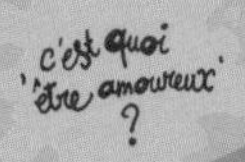

Toutes les questions que posent les 9-13 ans sur l'amour et le sexe et toutes les réponses que cherchent leurs parents sont dans ce guide.

titeuf les albums

Glénat

tchô! La collec...

tchô!
Le plus petit journal
mégagéant
de la planète !
CADÔ! 1 GIGA AVION
tchô!
33
le guide du monde mondial
LE TCHONAVION
CADÔ! La gluobouche
tchô!
31
GLOUBLEUARGL
CADÔ! LA PUNITION QUI FAIT PEUR!
tchô!
28
L'ÉCOLE IDÉALE ?
QUI FAIT PEUR ?
BLATOZOR!
Les GLOBULZIEUX
12 fr
3 FS
74 FS
2,5 C$
En vente en kiosque
A lire dans toutes les cours de récré

Titeuf

tchô! La collec...

En vente en librairie, à lire dans toutes les cours de récré...

PAR TEBO

3 albums parus

PAR TEHEM

4 albums parus

PAR BERTSCHY

2 albums parus

PAR BOULET

1 album paru

EMBARQUEZ SUR **www.glenat.com**

LA BIBLIOTHÈQUE ROSE

Mademoiselle Wiz,
une sorcière particulière.

Mini, une petite fille
pleine de vie !

Fantômette,
l'intrépide
justicière.

Avec le Club des Cinq,
l'aventure est toujours
au rendez-vous.

es héros grandissent avec toi !

Kiatovski,
le détective en baskets
qui résout
toutes les enquêtes.

Dagobert,
le petit roi
qui fait tout à l'envers.

Rosy et Georges-Albert,
le duo de choc
de l'Hôtel Bordemer.

Avec Zoé,
le cauchemar devient
parfois réalité.

Imprimé en France par ***Partenaires-Livres®***

N° dépôt légal : 25037 - août 2002
20.20.0654.06/2 ISBN : 2.01.200654.X

Loi n°49-956 du 16 juillet 1949
sur les publications destinées à la jeunesse